LA GRANDE IMAGERIE

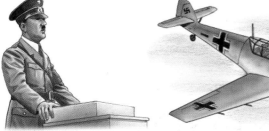

LA GUERRE

1939.1945

Conception
Émilie BEAUMONT

Texte
Christine SAGNIER

Images
M.I.A.- Giampietro COSTA

ÉDITIONS FLEURUS

ÉDITIONS FLEURUS, 15-27, rue Moussorgski 75018 PARIS

EN MARCHE VERS LA GUERRE

La Première Guerre mondiale a fait 11 millions de morts et laissé le monde meurtri. Partout, il faut aider les orphelins, les veuves, les soldats mutilés et reconstruire les régions ravagées par les combats. De 1919 à 1920, les pays vainqueurs élaborent des accords de paix dont le traité de Versailles signé avec l'Allemagne en 1919. En dessinant de nouvelles frontières en Europe centrale, ce traité fait de nombreux mécontents en Allemagne et en Russie. Alors que les vainqueurs veulent encore croire en la paix, ce nouveau découpage de l'Europe sera l'une des causes de la Seconde Guerre mondiale.

NORVÈGE
Mer Baltique
ESTON
SUÈDE
LE
Memel
LITUANI
ROYAUME-UNI
PAYS-BAS
Dantizg
ALLEMAGNE
Territoire des Sudètes
Haute-Silésie
POLOGN
BELGIQUE
Ruhr
LUXEMBOURG
Teschen
TCHÉCOSLOVAQUIE
Océan Atlantique
FRANCE
SUISSE
AUTRICHE
HONGRIE
ESPAGNE
Fiume
YOUGOSLAVIE
ITALIE
Mer Méditerranée
ALBANIE
GRÈC

- Etats Satisfaits
- Etats Mécontents
- ⊙ Points chauds
- ✦ Régions litigieuses

La Société des Nations

À côté de la signature des traités de paix, une nouvelle organisation mondiale voit le jour : la Société des Nations, l'ancêtre des Nations unies. Sa principale mission est de garantir la paix et la sécurité entre les nations, c'est-à-dire de jouer un rôle d'arbitre entre les pays. Les décisions prises par le Conseil doivent faire l'unanimité des votants mais, au début, ni les pays vaincus, ni la Russie ne sont invités à la SDN. Les États-Unis, qui refusent de reconnaître le traité de Versailles, ne souhaitent pas faire partie de la SDN. La Grande-Bretagne et la France, en pleine reconstruction, n'ont pas les moyens de jouer les gendarmes du monde. L'Europe ne domine plus la planète et il faut désormais compter avec les États-Unis, qui ont connu un grand essor lors de la guerre 1914-18.

À la Bourse de New York, le 24 octobre 1929, les Américains qui avaient placé leur argent dans des actions (prêts faits aux entreprises) perdent toutes leurs économies : c'est le « jeudi noir », symbolisant la grande crise économique mondiale.

Le rêve d'un monde sans guerre

Après les terribles dégâts de la guerre 1914-18, certains rêvent d'un monde sans guerre dans lequel il n'y aurait plus d'armes. Les Américains défendent cette idée de désarmement. En 1928, 60 nations déclarent la guerre hors-la-loi par le pacte de Briand-Kellogg. Il symbolise tous les efforts déployés pour parvenir à une paix mondiale. Mais ce pacte ne comporte aucune sanction pour celui qui mettrait la paix en danger et les tentatives de désarmement internationales se transforment en échec. Dès 1931, le Japon envahit la région chinoise de la Mandchourie. En 1933, le Japon sort de la SDN, puis c'est au tour de l'Allemagne.

À partir de 1931, un conflit se prepare entre la Chine et le Japon suite à l'invasion de la Mandchourie par les Japonais.

La crise de 1929

Immédiatement après la première guerre, les besoins sont grands : la production industrielle augmente et les emplois aussi. Mais le manque d'argent au sortir de cette guerre freine les achats et bien vite une crise économique menace : on produit trop, le chômage gagne.

Le 24 octobre, la Bourse de New York connaît une vraie crise financière. Les personnes qui avaient prêté de l'argent aux entreprises sont ruinées en quelques heures. Les entreprises ferment : de nombreux Américains se trouvent au chômage. La crise se propage au reste du monde. En Allemagne, ces graves problèmes économiques vont faciliter la montée au pouvoir d'Hitler.

Dictatures et démocraties

À la veille de la Seconde Guerre mondiale, le monde est partagé entre dictatures et démocraties. Dans les démocraties, la population élit les dirigeants qui la gouvernent : c'est le cas de la Grande-Bretagne, de la France, des Pays-Bas, de la Belgique, des États-Unis... Dans les dictatures, le pouvoir est aux mains d'un parti politique unique et autoritaire, comme celui des fascistes (dans l'Italie de Mussolini, le Portugal ou l'Espagne) ou des nazis (dans l'Allemagne d'Hitler), ou encore des nationalistes associés aux militaires (dans le Japon de Tojo Hideki). Pour finir, il y a l'Union soviétique dont le pays est dirigé par un seul homme : Staline.

U.R.S.S.

erre
sso-polonaise
20-1921

Bessarabie

Dobroudja

Mer
Noire

TURQUIE

Guerre
gréco-turque
1920-1922

7

LE NAZISME AU POUVOIR

Après la Première Guerre mondiale, l'Allemagne se sent humiliée par le traité de Versailles, qui la déclare responsable du conflit. D'une part, elle est condamnée à payer les frais des réparations dus à la guerre, et d'autre part, elle perd certains de ses territoires (la région du Rhin est occupée). Ses troupes et ses armes sont aussi réduites. En 1930, l'Allemagne est touchée de plein fouet par la crise économique, les prix sont en hausse et le travail manque. Profitant de cette situation, Hitler, chef du parti nazi, marche vers le pouvoir.

Hitler, un chef suprême

Le parti national-socialiste (ou parti nazi) profite des difficultés économiques que connaît l'État allemand. Le succès de ce parti revient à la personnalité de son chef, Adolf Hitler, et à sa capacité à fasciner les foules. Après avoir tenté de renverser l'État en 1923, Hitler est emprisonné quelques mois. C'est en prison qu'il rédige *Mein Kampf* (Mon combat), un livre dans lequel il développe ses idées et ses projets.

Mein Kampf

Hitler expose dans son livre qu'il veut rétablir une grande Allemagne et donner à son peuple de « maîtres » un espace de vie suffisant pour garantir sa sécurité. Pour cela, Hitler explique qu'il faut éliminer les peuples « inférieurs », dont feraient partie, selon lui, les Juifs et les Tziganes, ainsi que les communistes qu'il juge ennemis. Pour Hitler, il est nécessaire de placer le peuple sous l'autorité d'un guide, un führer.

En marche vers la dictature

Après sa sortie de prison, Hitler entreprend de prendre légalement le pouvoir. Des élections ont lieu en 1932. Le parti nazi devient le premier parti au Parlement (l'assemblée qui est chargée de fixer les lois). En 1933, le Président de la République, le maréchal Von Hindenburg, nomme Hitler chancelier, ou chef du gouvernement. Rapidement, Hitler va imposer sa dictature.

Un pouvoir total

Avec l'aide des Schutzstaffel (surnommés SS), formés en organisation militaire, et de la Gestapo, police secrète, Hitler chasse tous ceux qui ne le suivent pas aveuglément. Il élimine les communistes et interdit la plupart des partis politiques et des syndicats.

En 1933, Hitler accède au pouvoir, il est nommé chef du gouvernement allemand par le Président Hindenburg.

Propagande et contrôle absolu

Pour s'assurer un pouvoir total, les nazis entreprennent de contrôler les pensées des Allemands. Ils organisent de gigantesques rassemblements dont la mise en scène doit impressionner le peuple : les discours, les chants repris en chœur, la musique guerrière, les drapeaux, les défilés de chars... Les plus jeunes, entre dix et dix-huit ans, font partie d'organisations nazies. En 1939, on compte 9 millions d'adolescents dans les jeunesses hitlériennes.

Tout est surveillé : la radio, les journaux, le cinéma, l'édition. Une chambre de la culture est créée pour décider de ce qui est toléré ou non. Les livres qui déplaisent aux nazis sont brûlés en public.

13·MÄRZ 1938
EIN VOLK EIN REICH
EIN FÜHRER

Des affiches, des films et divers arts servent à répandre les idées nazies : c'est la propagande. On multiplie par exemple les affichettes critiquant les Juifs. Au mois de mai 1933, plus de 20 000 ouvrages sont jetés au feu à Berlin. Ces livres sont brûlés car leurs auteurs sont juifs, communistes, qu'ils vantent la paix ou la démocratie...

Au sein des jeunesses hitlériennes, les jeunes Allemands participent à des défilés et sont envoyés dans des camps de vacances où les activités sportives ressemblent à des entraînements militaires. On leur apprend ainsi à penser comme les nazis.

L'EUROPE EN GUERRE

Avant même l'arrivée d'Hitler au pouvoir, l'Allemagne se réarme en secret. Elle réorganise même sa force aérienne alors que le traité de Versailles lui interdit de posséder une armée de l'air. L'Allemagne signe le traité de Rapallo avec la Russie l'autorisant à installer des usines d'armement en URSS. L'armée russe elle aussi se réorganise et des alliances se font entre les dictatures : l'Allemagne se rapproche de l'Italie et du Japon. L'Espagne, en pleine guerre civile, sert de terrain d'entraînement aux armées russes, italiennes et allemandes. Inquiètes, la France et la Grande-Bretagne, lancent à leur tour un programme de réarmement.

Pour une grande Allemagne

Poursuivant son rêve d'une grande Allemagne, Hitler pénètre en Rhénanie (région frontalière), puis ses troupes envahissent l'Autriche le 12 mars 1938. La France et l'Angleterre ne réagissent pas. Hitler vise la Tchécoslovaquie, Les Français et les Anglais, qui craignent une guerre généralisée, se réunissent à Munich avec les Italiens et les Allemands. L'Allemagne est alors autorisée à envahir une partie de la Tchécoslovaquie si elle assure de ne plus accroître son territoire. Anglais et Français pensent échapper à la guerre.

La guerre est déclarée

Très vite, les Allemands envahissent une autre région de la Tchécoslovaquie, puis marchent vers la Pologne. En prévision d'une guerre, l'Allemagne signe un pacte de soutien mutuel avec l'Italie : c'est le pacte d'acier. Elle signe aussi un pacte de non-agression avec la Russie. Le 1er septembre 1939, suite à l'invasion de la Pologne, la France et l'Angleterre déclarent la guerre à l'Allemagne.

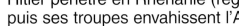

La guerre éclair

Malgré la bravoure des Polonais, le pays est écrasé en quatre semaines. L'armée allemande, la Wehrmacht, se déploie ensuite vers l'ouest. La France et l'Angleterre regroupent leurs forces en Belgique et derrière la ligne Maginot (voir p. 11), une ligne de défense équipée d'obusiers, de canons anti-chars et de mitraillettes qui s'étend le long de la frontière franco-allemande. Postés derrière la ligne, les soldats attendent l'action pendant 6 mois, c'est la « drôle de guerre ».

Pendant ce temps, le conflit se déplace vers le Nord. Les Russes envahissent la Finlande. L'Allemagne occupe le Danemark, puis la Norvège en seulement 24 heures. Le 10 mai 1940, Hitler lance l'offensive à l'ouest. La Wehrmacht fonce sur les Pays-Bas, la Belgique, le Luxembourg et, à la surprise des Français, les chars allemands traversent la forêt des Ardennes réputée infranchissable prenant à revers les troupes françaises postées derrière la ligne Maginot. Le reste des armées franco-britanniques se trouve encerclé sur les bords de la mer du Nord. Des bateaux anglais, belges et français viennent à la rescousse des troupes alliées. Environ 300 000 hommes sont évacués vers l'Angleterre, les autres sont faits prisonniers.

La ligne Maginot forme une ligne de fortifications qui s'allonge sur environ 700 km le long de la frontière franco-allemande. Elle offre des bases souterraines avec des kilomètres de galeries.

Seules les parties destinées au combat apparaissent en surface de la ligne Maginot.

L'exode

La Wehrmacht s'élance alors vers le sud, ce qui provoque un véritable exode. En voiture, en vélo, en charrette ou à pied, des millions de Belges, Hollandais et Français, fuient le nord devant l'avancée de l'ennemi. Pour éviter que Paris ne soit bombardé, la ville est déclarée « ville ouverte », c'est-à-dire qu'elle est ouverte à l'ennemi. Le 22 juin 1940, la France se résout à signer l'armistice dans le wagon où fut signé celui de 1918.

L'Angleterre seule en guerre

Avec son nouveau ministre Winston Churchill, l'Angleterre tient tête à l'Allemagne. Hitler décide de maîtriser les airs. La nuit, son aviation, la Luftwaffe, bombarde les villes anglaises. L'Angleterre résiste grâce aux radars mis au point avant la guerre qui permettent de détecter l'approche des avions ennemis et de faire décoller de puissants chasseurs. L'Allemagne doit renoncer à l'invasion du territoire britannique. La guerre se déplace en Afrique, où les troupes italiennes menacent (voir p.16).

L'exode provoque une pagaille sur les routes où chacun cherche à fuir l'armée allemande qui avance. Les plus chanceux se réfugient chez des amis ou de la famille plus au sud, les autres ne savent ni où aller, ni quoi manger...

LA VIE SOUS L'OCCUPATION

Dès l'été 1941, l'Allemagne occupe une grande partie de l'Europe. Elle soutire aux pays occupés l'argent nécessaire aux frais d'occupation et réquisitionne des matières premières, comme l'essence, la laine... mais aussi des produits alimentaires. La population allemande est à l'abri de la faim mais, pour les autres, la vie est difficile. Composer un repas est un vrai casse-tête, se rendre d'une ville à l'autre est un tour de force, se chauffer est un luxe ; même s'habiller et se chausser devient compliqué. C'est le temps des petites trouvailles et du recyclage, mais aussi des progrès scientifiques.

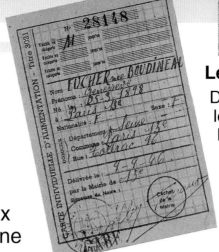

Les magasins sont vides

Difficile de manger à sa faim : le pain, la viande, le beurre, le sucre, le lait... tout manque. La nourriture est rationnée. Chacun reçoit une carte individuelle d'alimentation sur laquelle sont inscrits son âge et sa profession. Cette carte détermine la part de denrées qui revient à chaque consommateur. Un enfant a droit à plus de lait, un travailleur manuel à plus de pain. Encore faut-il trouver à se ravitailler car les boutiques sont vides. Il est plus facile de vivre à la campagne où l'on peut élever des poules, des lapins et s'occuper d'un potager. Les citadins qui ont de la famille en dehors des villes se font envoyer des colis.

Muni de tickets de rationnement, on doit faire la queue des heures pour quelques grammes de beurre.

Le marché noir

Quand un produit est de plus en plus rare, les acheteurs sont prêts à le payer à prix d'or, et les fournisseurs le vendent à celui qui donnera le plus d'argent. Ces vendeurs qui profitent de la pénurie pour s'enrichir sont surnommés les BOF *(beurre, œufs, fromage).*

On s'organise

Pour faire face à la pénurie, il faut s'organiser. Sans essence, plus de voitures pour circuler, le vélo est à l'honneur. Même les taxis parisiens sont à pédales, ce sont les vélos-taxis. Toutes sortes de produits de remplacement (les ersatz) sont inventés : le café est fait à base de glands et de racines d'endives, le savon à base de lierre...

Il faut toujours avoir ses papiers car les contrôles sont fréquents.

La peur au quotidien

Vivre pendant la guerre, c'est vivre avec la peur et les interdits. Il est défendu de sortir la nuit : c'est ce qu'on appelle un couvre-feu. Les vitres des fenêtres doivent être recouvertes de bleu pour que la lumière ne filtre pas. En cas de bombardement, on se réfugie dans des abris antiaériens (dans le métro ou dans les caves). Dans les villes les plus dangereuses, les enfants sont envoyés dans de la famille à la campagne. En France, il y a d'un côté la zone libre et, de l'autre, la zone occupée, on ne peut passer de l'une à l'autre qu'avec un laissez-passer (ausweis).

Pour mener la guerre, il faut un armement performant. Dans les usines, d'immenses efforts sont faits afin de produire toujours plus. Pour remplacer les millions d'hommes partis se battre, les femmes travaillent dur. Elles fabriquent des armes, des parachutes, des pièces d'avion... On fait aussi appel aux savants, et des inventions spectaculaires voient le jour : la première fusée, le premier ordinateur capable de décrypter les messages ennemis, la Jeep...

S'habiller et se chauffer

Les restrictions touchent aussi l'habillement. Il faut des bons d'achat pour se procurer des chaussures et des vêtements. Faute de cuir, les semelles sont en bois. La laine et le coton sont remplacés par les tissus pour doublure, par de la bâche à camion... Manquer de vêtements chauds est d'autant plus pénible qu'il est très difficile de se chauffer. Pour beaucoup, il n'y a plus ni chauffage central, ni eau chaude. Le charbon manque, on se chauffe donc au bois.

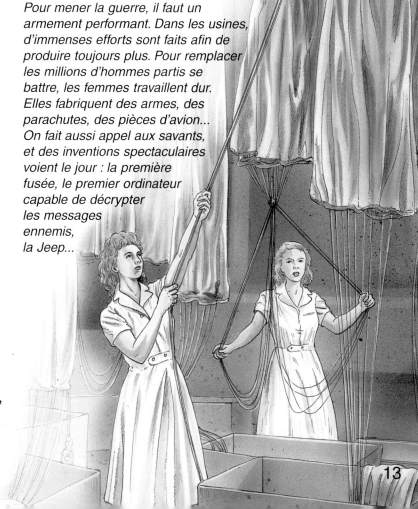

RÉSISTANCE ET COLLABORATION

L'Europe est en grande partie dominée par les nazis. D'un côté, il y a le grand Reich, c'est-à-dire l'Allemagne d'avant-guerre et les pays comme l'Autriche qui lui sont rattachés depuis 1938. De l'autre, il y a les pays occupés désormais administrés par l'Allemagne ou par des gouvernements qui soutiennent sa politique. Après l'invasion allemande, la principale préoccupation des gens est de survivre. Certains choisissent de collaborer avec l'occupant pour des raisons politiques ou financières. Les résistants, quant à eux, décident d'agir secrètement contre l'ennemi au péril de leur vie.

Les Français, désemparés, ont besoin de se raccrocher à un chef ; ils font alors confiance à Pétain, héros de la Première Guerre.

FRANÇAIS ! *vous n'êtes ni vendus ni trahis ni abandonnés*

VENEZ A MOI AVEC CONFIANCE

L'État collabore

Pétain rencontre Hitler le 24 octobre 1940. Croyant améliorer le sort des Français, le maréchal accepte l'idée d'une collaboration avec l'Allemagne. À partir de ce jour, les Juifs réfugiés en zone libre sont livrés à l'Allemagne. Puis la police française participe à l'arrestation de ceux qui vivent en zone occupée. En novembre 1942, l'Allemagne envahit la zone libre, le gouvernement de Vichy perd toute autonomie.

La France coupée en deux

Le cas de la France est unique car jusqu'à la fin de l'année 1942, le pays est divisé en deux. Dans la zone occupée, au nord, l'Allemagne a mis en place un régime militaire. Au sud, la zone libre, délimitée par la ligne de démarcation, est administrée par un gouvernement autonome installé dans la ville de Vichy et dirigé par Philippe Pétain. Le maréchal Pétain vient de signer l'armistice avec l'Allemagne en juin 1940.

En décembre, Hitler ordonne la création d'une nouvelle police française, la Milice, dont la principale tâche sera la chasse aux Juifs et aux résistants. L'Allemagne exige que des ouvriers français aillent travailler dans les usines allemandes : en 1943, le gouvernement met en place le Service du travail obligatoire (STO).

L'appel du 18 juin

Au début de la guerre, les résistants français sont peu nombreux car la population fait confiance au maréchal Pétain. Mais un officier, le général de Gaulle, refuse l'armistice. Le 18 juin 1940, il lance un appel à la radio de Londres, la BBC, pour inviter tous ceux qui le désirent à le rejoindre et à l'aider pour organiser la Résistance en exil.

De juin 1940 à novembre 1942, le territoire français est partagé en deux zones.

Les résistants à l'action

Dans l'Europe entière, les résistants s'organisent. Souvent, ils mènent une double vie : père de famille tranquille le jour, le résistant imprime des tracts ou des journaux clandestins la nuit. Les résistants transmettent des messages codés qu'ils signent avec des surnoms, cachent des Juifs, organisent des sabotages (ci-contre)... Des femmes se joignent aussi aux réseaux de résistance. Pour plus de sécurité, ces rebelles travaillent parfois ensemble sans même se connaître.

Radio artisanale.

Les résistants communiquent et agissent grâce à des réseaux très organisés. Ils se servent de radios clandestines et doivent changer de fréquences régulièrement pour ne pas être repérés.

Résistants arrêtés par la Milice.

Une armée de l'ombre

Suite à l'invasion de l'URSS par Hitler, beaucoup de communistes entrent dans la Résistance. D'autres personnes s'engagent à leur tour. Pour survivre, ces résistants de « l'armée de l'ombre » doivent rester cachés, se procurer des cartes de rationnement et fabriquer de faux papiers d'identité. Londres leur parachute des armes et des explosifs car ils n'ont rien pour se battre.

LA GUERRE DEVIENT MONDIALE

L'année 1941 marque un tournant dans la guerre. Jusqu'à présent, c'est presque uniquement en Europe qu'on se bat. Tout change le 22 juin, lorsque les Allemands envahissent la Russie. Puis c'est le Japon qui attaque par surprise les troupes américaines basées dans le Pacifique. Sur mer, sur terre, dans les airs... le monde devient un immense champ de bataille. De l'Atlantique au Pacifique en passant par la Méditerranée, sous le soleil des déserts, sous la neige, dans la jungle, partout on se bat pour défendre un territoire mais aussi des idées.

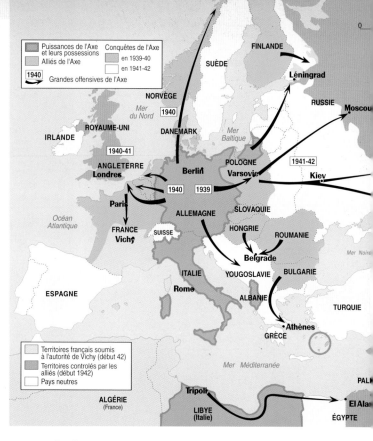

Du côté de la Russie

Le dernier projet du führer est de se tourner vers l'Est. Pour lui, la Russie se présente comme un immense espace vital à conquérir. À cette tentation s'ajoute la haine du communisme. Hitler lance donc l'opération Barberousse en juin 1941. Il pense que 5 mois suffiront pour venir à bout de la Russie. Les premières semaines, la progression de la Wehrmacht est spectaculaire. Staline appelle les Russes à se battre jusqu'au bout. La résistance s'organise.

L'enfer de l'hiver

L'hiver approche. Les deux chefs, Hitler et Staline, ont pris la tête des opérations. Début septembre, les Allemands sont à Léningrad. Bientôt ils seront à Moscou. Mais la capitale résiste et, à la mi-novembre, le froid arrive. Les soldats allemands ne sont pas assez couverts, les moteurs des chars ne démarrent plus, les armes gèlent. Malgré l'hiver rigoureux, les Russes contre-attaquent. Hitler doit changer d'objectif : il vise le Caucase et ses champs de pétrole, mais aussi la ville de Stalingrad.

Du côté du Pacifique

Pour faire face à la dépression de 1930, le Japon veut étendre sa puissance. Dès 1931, il envahit la Mandchourie, une région chinoise, puis c'est la guerre contre la Chine qui éclate en 1937. Après la défaite des Alliés en Europe, le Japon s'intéresse aux empires coloniaux d'Asie, comme l'Indochine française ou la Birmanie britannique.

En 1941, le Japon entreprend de chasser les États-Unis du Pacifique, car ils gênent sa politique d'expansion. Le 7 décembre, l'aviation japonaise attaque par surprise la base américaine de Pearl Harbor dans les îles d'Hawaii. Le lendemain, le président américain déclare la guerre au Japon. Aussitôt, Hitler déclare la guerre aux États-Unis.

Le triomphe du Japon

Durant les cinq premiers mois du conflit, le Japon triomphe grâce à la parfaite organisation de ses opérations. Ni les Américains ni les Britanniques ne pensaient que le Japon pourrait lancer des offensives sur un territoire aussi étendu.

À la surprise des Américains, les deux premières attaques japonaises sont lancées à 9 000 km de distance : l'une à Pearl Harbor (Hawaii) et l'autre dans le sud de la Thaïlande.

Du côté de la Méditerranée

L'Italie de Mussolini rêve de fonder un empire colonial en Afrique du Nord. L'Éthiopie se soumet, mais l'Égypte et le Soudan sont sous la protection des Britanniques qui disposent d'une flotte considérable en Méditerranée. En juin 1940, la Grande-Bretagne est le dernier pays d'Europe à tenir tête à l'Allemagne. l'Italie en profite pour lancer des combats en Afrique. Ses attaques dispersées laissent le temps aux Anglais de rassembler leurs forces. L'Allemagne vient en aide à l'Italie, en envoyant en renfort les troupes blindées du général Rommel qui progressent rapidement jusqu'en Égypte. Hitler se tourne alors vers la Yougoslavie et la Grèce.

Carte

URSS
MONGOLIE
MANDCHOUKOUO
CORÉE
Tokyo JAPON
CHINE
TIBET
INDE
Birmanie
Thaïlande
Indochine
Formose
1941-42
1941-42
Philippines
Îles Palau
Bornéo
Indes Néerlandaises
Océan Indien
Îles Aléoutiennes
Midway (USA)
Pearl Harbor
7 Décembre 1941
Îles Hawaï (USA)
Wake (USA)
Îles Mariannes
Îles Marshall (USA)
Carolines
Îles Gilbert (R.U.)
Nauru (R.U.)
Nouvelle-Guinée
Îles Salomon
Fidji
Nouvelles-Hébrides
AUSTRALIE

Empire japonais en 1934
Conquêtes japonaises de 1934-40
en 1941-42
1940 Grandes offensives japonaises
Extension maximum du Japon en 1942
Territoires contrôlés par les alliés
Pays neutres
URSS, neutre contre le Japon jusqu'en août 1945

DE L'EXCLUSION AU GÉNOCIDE

Selon Adolf Hitler, les races ne sont pas égales et il pense que celle qui est supérieure à toutes les autres est la race aryenne, constituée d'hommes et de femmes grands, blancs, blonds, avec le crâne plus long que large. Tout en bas de l'échelle des races, Hitler place les juifs, qu'il qualifie de « parasites ». Mais il voue aussi une haine pour les Tsiganes, les homosexuels, les communistes... Hitler organise ainsi le massacre de plus de 6 millions de Juifs et 200 000 Tsiganes, on parle de génocide.

Les camps de concentration

Dès 1933, des camps sont construits pour y enfermer des prisonniers et pour, dit-on, les « rééduquer ». Chaque prisonnier porte un triangle de couleur sur sa tenue : rouge pour les prisonniers opposés au pouvoir nazi, jaune pour les Juifs, rose pour les homosexuels... Ce sont les Schutzstaffel, ou SS, qui surveillent les camps. On y appelle plus les prisonniers par leur nom mais par un numéro tatoué sur leur peau. Ils sont très peu nourris, souffrent du froid, du manque de soins, de l'humiliation permanente et sont obligés de travailler très dur sous peine d'être fusillés. Terriblement amaigris, beaucoup meurent d'épuisement.

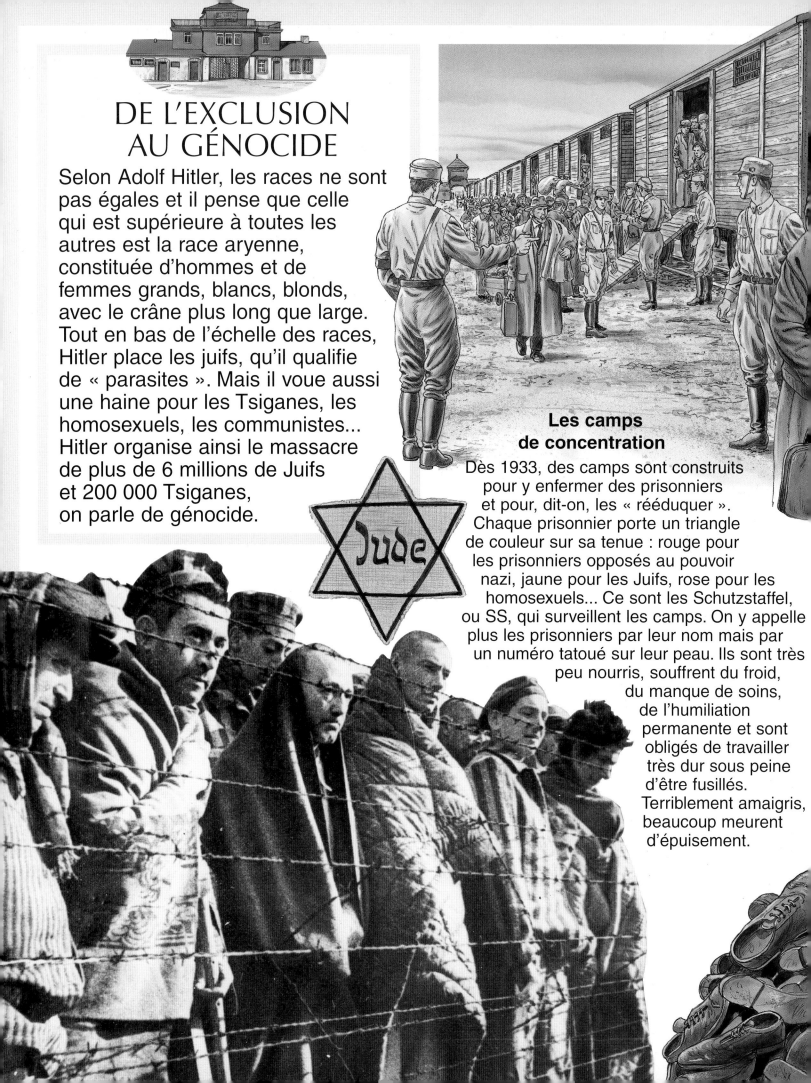

Les persécutions

Hitler incite le peuple allemand à haïr les Juifs en les accusant d'être responsables des problèmes de l'Allemagne. En avril 1933, des pancartes sont installées sur les magasins juifs pour dissuader la population d'y acheter des produits. Puis les Juifs n'ont plus le droit de travailler dans l'administration, la justice, l'armée, la santé. Les enfants juifs ne peuvent plus aller à l'école et tous les Juifs sont privés de la nationalité allemande. Certains quittent l'Allemagne mais bientôt tous les Juifs vivant dans les pays occupés sont aussi persécutés. En 1941, tous doivent porter une étoile jaune.

Avec l'invasion de la Pologne en 1939, 2 millions de Juifs supplémentaires sont à la merci des Allemands. Les Juifs polonais des campagnes sont parqués dans les quartiers les plus pauvres de certaines villes. À Varsovie, environ 450 000 personnes sont ainsi coupées du monde.

La solution finale : l'extermination

Dans un premier temps, les nazis ont eu l'idée d'emmener tous les Juifs sur l'île de Madagascar, dans l'océan Indien, mais ils élaborent finalement un plan beaucoup plus terrible encore. En 1942, Hitler décide de déporter tous les Juifs vers l'Est et d'en éliminer le plus grand nombre. Hommes, femmes, enfants et vieillards de l'Europe entière sont conduits par trains bondés vers les camps d'extermination.

Arrestations dans le ghetto de Varsovie en Pologne.

À leur arrivée dans les camps, les hommes et les femmes jeunes et en bonne santé sont sélectionnés pour les travaux forcés. Les autres sont dirigés vers des bâtiments sous prétexte de prendre une douche. En fait, à la place de l'eau s'échappe du gaz qui les fait tous mourir. Les corps sont ensuite brûlés dans des fours.

Chaussures, vêtements et lunettes des prisonniers morts sont récupérés et réutilisés.

19

LA VICTOIRE EN VUE

La fin de l'année 1942 marque un tournant dans la guerre. C'est le temps de la contre-offensive alliée. Les succès changent de camp. La défaite japonaise de Guadalcanal coïncide avec la victoire britannique d'El-Alamein en Afrique du Nord et la contre-offensive russe de Stalingrad. Tandis qu'à l'est, la pression russe ne se relâche pas, de grandes opérations de débarquements sont organisées en Afrique du Nord, en Italie, en France et dans le Pacifique. La libération des pays occupés est en route, mais ce n'est qu'en septembre 1945 que s'achève enfin le conflit le plus destructeur de l'Histoire.

Le désert rend la guerre plus pénible encore : les hommes ont chaud et soif, le matériel s'enraye à cause du sable et les véhiculent s'enlisent.

L'opération Torch

Le 8 novembre, les Alliés américains et anglais lancent l'opération Torch en Afrique du Nord. Des troupes débarquent sur la côte atlantique du Maroc et dans les ports algériens d'Oran et d'Alger. C'est le commandant américain Eisenhower qui commande les opérations. L'étape suivante est le contrôle de la Tunisie. C'est la première campagne qui réunit côte à côte Anglais et Américains.

Une victoire en Égypte

En Afrique du Nord, les combats continuent. Le commandant allemand Rommel, qui veut poursuivre l'offensive en Libye, demande à recevoir de nouvelles troupes, mais Hitler refuse car il donne la priorité à l'invasion du Caucase e Russie. Malgré tout, Rommel poursuit l'offensive et prend le port libyen de Tobrouk. Du côté des Anglais, les armées sont épuisées. Un nouveau chef est placé à la tête des opérations : le généra Montgomery. Les Anglais se reprennent la nuit du 23 octobre 1942 à El-Alamein, en Égypte, 900 canons anglais font feu sur les Allemands. À court de carburant, Rommel et ses troupes se replient le 2 novembre.

La reddition italienne

Une fois l'Afrique du Nord libérée des troupes allemandes, les Alliés se lancent à l'assaut de la Sicile et programment l'invasion de l'Italie. En juillet 1943, Mussolini est arrêté par le Grand Conseil fasciste. Le nouveau gouvernement italien cherche alors à faire la paix avec les Alliés. Le 8 septembre 1943, c'est la reddition italienne. Mais les Allemands défendent durant deux ans encore le territoire italien contre les Alliés avant que ceux-ci ne l'emportent.

La bataille de Stalingrad

Le 10 août 1942, l'armée allemande est devant Stalingrad. En face, la riposte s'organise. Chaque rue, chaque mur fait l'objet de terribles combats. Faute de ravitaillement, les soldats allemands sont affamés ; ils se rendent le 31 janvier 1943. 110 000 Allemands et 500 000 Russes sont morts.

Combat de rue à Stalingrad.

La Russie libérée

L'endurance de ses soldats est un atout pour la Russie car ils résistent aux difficiles conditions climatiques du pays. Après la victoire de Stalingrad, l'Armée rouge (l'armée russe) entreprend de libérer la Russie de l'ouest. La plus grande bataille de chars a lieu en juillet 1943, c'est la bataille de Koursk : 2 500 chars sont réunis par les Allemands et 3 000 par les Russes.

La marche sur Berlin

La libération de la Pologne et des autres pays slaves est prévue pour l'été 1944, en même temps que le débarquement allié sur les côtes françaises. Quatre millions de soldats allemands sont donc retenus sur le front à l'Est. En 1945, les Russes pénètrent en Allemagne après avoir libéré l'Europe de l'Est et les Balkans excepté la Grèce libérée en 1946.

Les Russes entrent à Berlin.

Pour les Alliés, la défaite de l'Allemagne reste l'objectif premier, celle du Japon vient ensuite. Le débarquement en Normandie annonce le début de la libération de l'Europe, mais la percée est longue et difficile. Il faut onze mois aux troupes américaines pour rejoindre les troupes russes en Allemagne. Dans le Pacifique, c'est aussi au terme d'une gigantesque traversée maritime que l'armée américaine va vaincre le Japon.

Le Débarquement de Normandie

Il est préparé durant plusieurs années sous le nom de code d'Overlord. Les Alliés vont déjouer le « mur de l'Atlantique », véritable fortification de près de 5 000 km de côtes, qu'avaient dressée les Allemands pour empêcher toute offensive. Ils décident de débarquer sur les plages et non dans les ports comme le pensaient les Allemands.

La Normandie est retenue car elle permet une traversée en une nuit depuis l'Angleterre et se situe à portée des avions de chasse basés aussi chez les Anglais. Le Débarquement a lieu le 6 juin 1944, mais Hitler, qui se méfie d'une attaque dans le Pas-de-Calais, refuse d'envoyer des renforts en Normandie. Avec le soutien de l'aviation et de l'artillerie navale, 155 000 soldats prennent le contrôle des cinq plages du Débarquement.

La libération de l'Europe

Fin juillet, les Alliés ont libéré la Normandie et se rapprochent peu à peu de Paris. Le 15 août, un débarquement a lieu dans le sud de la France. Paris est libérée le 25 août, Bruxelles le 3 septembre. Le 11, les Américains franchissent les frontières de l'Allemagne. Hitler prépare en vain

Des batailles « au-delà de l'horizon »

En mai 1942, les batailles de la mer de Corail et de Midway marquent le tournant de la guerre dans le Pacifique. Ce sont les deux premières batailles aéronavales dites « au-delà de l'horizon ». Les navires ennemis, éloignés les uns des autres, combattent sans se voir, seuls les aviateurs sont au cœur de la bataille. Ce sont les Américains qui sont à l'initiative des attaques. En 1943, la marine américaine est très supérieure à celle du Japon et ce dernier est incapable de compenser ses pertes. Pour les Américains, la défaite passe par la destruction de la flotte impériale, de sa marine marchande et de ses lignes de communication maritime. Le Pacifique se transforme en cimetière marin et l'économie du Japon est à l'agonie.

La libération de Paris.

Au pays du Soleil levant, la défaite est impensable. Les Japonais ripostent par des attaques suicides. Un seul homme dans un avion chargé d'une bombe de 250 kg peut ainsi détruire un porte-avions ! Les volontaires sont appelés « kamikazes ».

une contre-offensive dans les Ardennes. Au début de 1945, la situation de l'Allemagne est désespérée, le pays est bombardé nuit et jour. La résistance allemande reste acharnée. Le 25 avril, les Russes encerclent Berlin. Le 30 avril, Hitler se suicide et le 2 mai toute résistance cesse. L'Allemagne signe sa capitulation le 7 mai en France.

La capitulation

Le Japon est affamé, ses villes sont ruinées. En juillet 1945, il ignore l'avertissement des Alliés qui le pressent de se rendre sans conditions. Les 6 et 9 août, les Américains larguent deux bombes atomiques sur les villes de Hiroshima et Nagasaki, tuant instantanément plus de 110 000 Japonais. Très gravement ébranlé, le Japon capitule le 2 septembre 1945.

ARMES ET MATÉRIEL

La tournure de la guerre dépend en partie des armes et du matériel dont disposent les armées.
En 1914-18, l'invention du moteur à explosion avait eu un rôle décisif dans la guerre. Durant l'entre-deux-guerres, les militaires tirent des leçons de cette évolution. Certains s'intéressent aux possibilités qu'offre l'aviation, d'autres misent sur les blindés. Quant à l'intérêt du sous-marin, il ne fait plus aucun doute. Pourtant, en 1939, l'armement reste encore parfois rudimentaire : ainsi, certaines pièces d'artillerie sont encore tractées par des chevaux ! Mais, dans le plus grand secret, ingénieurs et savants élaborent des armes révolutionnaires.

Spitfire

Messerschmitt

*Rapidité et maniabilité sont des qualités indispensables pour des avions de chasse. Face au **Spitfire** anglais capable d'atteindre 582 km/h, les Allemands lancent le **Messerschmitt BF 109**.*

***Le porte-avions** est le symbole de la bataille du Pacifique. À partir de 1941, il devient l'arme navale par excellence. Il permet de transporter les troupes au plus près de l'ennemi.*

***Les sous-marins** sèment la terreur sur les océans. Les U-Boote allemands opèrent en meute pour empêcher l'Angleterre d'être ravitaillée. Ils font surface la nuit et lancent leurs torpilles. En 1942, ils coulent 1 664 bâtiments dans l'Atlantique.*

pistolet automatique

grenade à manche

Le fusil et la baïonnette sont encore les armes de base du fantassin. Il y a aussi des mitraillettes légères, des fusils-mitrailleurs... Une telle variété est un vrai casse-tête pour le ravitaillement en munitions et les pièces de rechange.

***La Jeep** américaine fait des envieux. Mis au point en 1940, ce véhicule est opérationnel sur tous les terrains grâce à ses quatre roues motrices. Elle peut aussi transporter un chargement de 360 kg.*

pistolet - mitrailleur

grenade

carabine

Les forteresses volantes sont des bombardiers lourds à long rayon d'action. Capables de transporter 6 000 kg de bombes, ils provoquent des dégâts considérables.

Au début de la guerre du Pacifique, les Américains ont fort à faire avec le « **chasseur zéro** », avion embarqué sur les porte-avions japonais.

La bombe atomique est l'invention la plus terrible et la plus révolutionnaire réalisée pendant la guerre. Elle est expérimentée par les Américains le 16 juillet 1945 dans le désert du Nouveau-Mexique. Deux autres bombes sont alors déjà prêtes.

Le cuirassé de combat est un navire doté d'un épais blindage censé le protéger des mines, des obus et des torpilles. Malgré son armement antiaérien, il reste trop vulnérable aux attaques des avions.

La péniche est un élément indispensable lors d'un débarquement. Avec son fond plat et la rampe qui s'abaisse à l'avant, elle permet aux troupes et même aux chars de débarquer au plus près des plages.

Pendant cette guerre, **les mines** furent largement employées contre les bateaux et les sous-marins.

Avant l'attaque des unités blindées, les Allemands lancent **les side-cars** en éclaireurs. Leur mobilité et leur rapidité sont des atouts pour créer la surprise du côté ennemi.

Le char révolutionne la guerre terrestre. Muni de liaisons radio de char à char, il rend les opérations plus rapides du fait de sa mobilité. Le roi des chars est le char soviétique T34 conçu en 1939.

Les bombes V1 et V2 sont des fusées sans pilote créées par les ingénieurs allemands. Hitler nomme la V2 «l'arme de vengeance».

Parmi **les armes antichars**, le Pack 38 allemand est le seul capable d'arrêter le char T34 soviétique. Facile à camoufler, il peut en outre tirer des obus à plus de 2,7 km.

AU LENDEMAIN DE LA GUERRE

L'Allemagne et le Japon ont signé la reddition à quatre mois d'intervalle. Après les réjouissances de la fin de la guerre et de la libération, vient le temps des bilans et des désillusions. Une fois de plus, la carte du monde et ses frontières changent, entraînant des déplacements de population. C'est le temps du déblaiement et du débombage. Excepté aux États-Unis, où il n'y a pas eu d'affrontements, quantité de villes, de villages et d'usines sont anéantis. Dans ce paysage dévasté, le retour à la vie normale est difficile. On découvre l'horreur des camps et de la bombe atomique.

Le bilan

Avec la Seconde Guerre mondiale, le monde a connu une nouvelle forme de guerre. La notion de champ de bataille n'existe plus, l'aviation augmente le rayon d'action, les chars et les communications radio permettent une grande mobilité. La multiplication et l'évolution des armes entraînent de plus grandes destructions qui n'épargnent pas les civils. Le bilan des pertes humaines est terrible : 55 millions de morts dont plus de 20 millions pour la Russie.

Les ventres creux

La vie reprend difficilement son cours. Partout, des immeubles sont en ruines et leurs habitants sans abri. Certaines villes ont été détruites à plus de 70 %. Des kilomètres de voies ferrées, des ponts et des écluses ont disparu. Les routes sont abîmées, les champs sont en friche et les usines dévastées. Les vivres manquent toujours et le marché noir prospère. Certains n'ont plus ni eau ni chauffage ni électricité.

Dans les villes bombardées, il faut désormais déblayer les ruines, reconstruire les voies de communication et monter des baraquements provisoires.

Le grand nettoyage

Dans les pays libérés, on efface les traces de l'occupation. C'est la chasse aux symboles nazis et aux panneaux rédigés en allemand. Les gens ont soif de justice et parfois de vengeance : ceux qui ont collaboré avec les nazis sont arrêtés, certains sont exécutés immédiatement, les autres sont jugés puis fusillés. Des milliers de femmes sont même tondues en public pour avoir fréquenté des Allemands.

Churchill, Roosevelt et Staline, les chefs d'État du Royaume-Uni, des États-Unis et de l'URSS, n'ont pas attendu la fin des conflits pour préparer l'après-guerre. En février 1945, ils se réunissent à Yalta, en Crimée, pour convenir de l'avenir de l'Europe. Une seconde conférence a lieu dans la ville allemande de Potsdam, en juillet 1945, pour fixer, entre autres, le sort de l'Allemagne. Les frontières de certains pays sont modifiées. Les trois grands se partagent le monde.

Avec la libération des camps de concentration le monde entier découvre l'enfer qu'ont vécu les déportés. Le bilan est terrifiant : six millions de Juifs ont été exterminés, mais aussi un tiers des Tsiganes d'Europe.

Des crimes contre l'humanité

L'opinion publique découvre les horreurs de la guerre. Allemands, Russes et Japonais entre autres ont commis des atrocités. Ni les civils, ni les militaires n'ont été épargnés. Les conventions internationales sur les prisonniers de guerre n'ont pas été respectées. Pour leurs actes inhumains et les persécutions perpétrées dans les camps et à l'extérieur, les dirigeants allemands accusés de crime contre l'humanité sont jugés par un tribunal international à Nuremberg (ci-contre). Les dirigeants japonais devront aussi répondre de leurs actes et d'autres procès se poursuivront longtemps après la guerre.

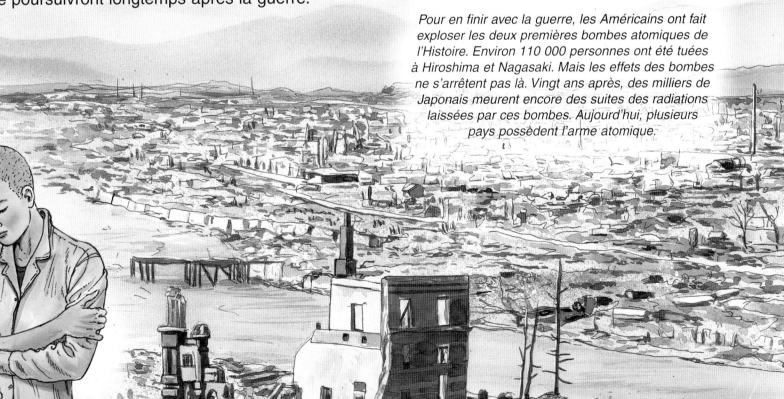

Pour en finir avec la guerre, les Américains ont fait exploser les deux premières bombes atomiques de l'Histoire. Environ 110 000 personnes ont été tuées à Hiroshima et Nagasaki. Mais les effets des bombes ne s'arrêtent pas là. Vingt ans après, des milliers de Japonais meurent encore des suites des radiations laissées par ces bombes. Aujourd'hui, plusieurs pays possèdent l'arme atomique.

TABLE DES MATIÈRES

ISBN : 2-215-066-86-5
ÉDITIONS FLEURUS, 2002.
Conforme à la loi n°49-956 du
16 juillet 1949 sur les publications
destinées à la jeunesse.
Dépôt légal à date de parution.
Imprimé en Italie (04-05).

Les pays occupés vivent sous le contrôle de l'Allemagne. Pour la population, les conditions de vie sont difficiles : l'alimentation et certaines matières premières sont rationnées, les officiers allemands font de nombreux contrôles d'identité, il est interdit de sortir la nuit et de nombreuses villes sont bombardées.

En 1940, l'avancée de l'armée allemande dans le nord de l'Europe est spectaculaire. Hollandais, Belges et Français fuient vers le sud pour échapper à l'ennemi. Des millions d'hommes, de femmes et d'enfants se retrouvent sur les routes emportant avec eux ce qu'ils peuvent de bagages. Certains pensent trouver refuge dans de la famille en territoire sauf, mais beaucoup ne savent pas où aller.

Pendant l'Occupation, des hommes et des femmes décident d'agir pour lutter contre l'envahisseur allemand. Organisés en réseaux secrets, ils mettent au point des sabotages, impriment des tracts clandestins, cachent des Juifs, se procurent des armes... Ils communiquent grâce à des radios artisanales et utilisent des noms de code pour ne pas être découverts. Leur but est de combattre l'ennemi afin de libérer les pays occupés.

Très tôt, Hitler s'en prend aux Juifs, aux Tsiganes, aux homosexuels, aux communistes, tous ceux qu'il juge de race inférieure ou dangereux... Il entreprend de les déporter dans des camps de concentration. Dans ces camps, les hommes et les femmes souffrent de la faim, du froid, de maltraitance et sont obligés de travailler très dur. Très affaiblis, beaucoup meurent. Ceux qui sont trop vieux, trop jeunes ou trop faibles pour travailler sont exécutés.

Le débarquement de Normandie est préparé durant plusieurs années sous le nom de code d'Overlord. Les Alliés vont déjouer le « mur de l'Atlantique », véritable fortification de près de 5 000 km de côtes qu'avaient dressée les Allemands pour empêcher toute offensive. Le Débarquement a lieu le 6 juin 1944, mais Hitler, qui se méfie d'une attaque dans le Pas-de-Calais, refuse d'envoyer des renforts. Avec le soutien de l'aviation et de l'artillerie navale, 155 000 soldats prennent le contrôle des cinq plages du Débarquement.

En Allemagne, dès 1933, les persécutions contre les Juifs commencent. Hitler leur interdit de nombreuses activités et, en 1941, il les oblige à porter une étoile jaune sur leurs vêtements.

Pendant l'occupation allemande, les aliments et quelques matières premières sont rares. Les familles ont droit à des cartes et des tickets de rationnement pour obtenir un peu de pain, de lait ou de beurre.

En mai 1942, les batailles de la mer de Corail et de Midway marquent le tournant de la guerre dans le Pacifique. Les navires ennemis combattent sans se voir, seuls les aviateurs sont au cœur de la bataille. En 1943, les Américains décident de détruire la flotte japonaise, sa marine marchande et ses lignes de communication maritime.